EIN HAUS FÜR DIE KÜNSTE

Das Gartenpalais in der Rossau
Zur Architektur des LIECHTENSTEIN MUSEUM Wien

A HOUSE FOR THE ARTS

The Garden Palace in Rossau
On the architecture of the LIECHTENSTEIN MUSEUM Vienna

UNA DIMORA PER LE ARTI

Il Palazzo Liechtenstein nella Rossau
L'architettura del LIECHTENSTEIN MUSEUM Vienna

Herausgegeben von | edited by | edito da Johann Kräftner
Text | Testo Gottfried Knapp

Prestel
München · Berlin · London · New York

© Prestel Verlag, München · Berlin · London · New York, 2004

Der vorliegende Text beruft sich in allen Details auf Beiträge, die Johann Kräftner,
Direktor des LIECHTENSTEIN MUSEUM, dem Gartenpalais und seiner Geschichte
gewidmet hat.

The text is based on essays by Johann Kräftner, Director of the LIECHTENSTEIN
MUSEUM, on the garden palace and its history.

Il presente testo si riallaccia, in tutti i dettagli, ai contributi di Johannes Kräftner,
direttore del LIECHTENSTEIN MUSEUM, sul Palazzo Liechtenstein e sulla sua storia.

Die Deutsche Bibliothek verzeichnet diese Publikation in der
Deutschen Nationalbibliografie;
detaillierte bibliografische Daten sind im Internet über http://dnb.ddb.de abrufbar.

Umschlagabbildung Titelbild und Abbildung Seiten 2/3 | Front cover image and
picture pages 2/3 | Immagine in copertina e immagine pagine 2/3:
Südfassade des Gartenpalais Liechtenstein | South façade, Liechtenstein Garden
Palace | Facciata sud del Palazzo Liechtenstein
Umschlagabbildung Rückseite | Back cover image | Immagine sul retro:
Bernardo Bellotto, *Das Gartenpalais Liechtenstein in Wien vom Belvedere* |
The Liechtenstein Garden Palace in Vienna, Seen from the Belvedere | *Il Palazzo
Liechtenstein die Vinna visto dal Belvedere*, 1759/60
Abbildung Seite 1 | picture page 1 | Immagine pagina 1: Portal zum Gartenpalais
Liechtenstein | Portal, Liechtenstein Garden Palace | Portale del Palazzo Liechtenstein
Frontispiz | Frontispiece | Frontispizio: Johann Michael Rottmayr, Deckenfresko mit
dem Opfer des Aeneas im Gartenpalais Liechtenstein | Ceiling fresco of Aeneas,
Liechtenstein Garden Palace | Affresco Sacrificio di Enea sul soffitto del Palazzo
Liechtenstein, 1705–1708

Prestel Verlag · Königinstraße 9 · D-80539 München
Telefon +49 (89) 38 17 09-0 · Telefax +49 (89) 38 17 09-35
www.prestel.de · info@prestel.de

Prestel Publishing Ltd. · 4 Bloomsbury Place · London, WC1A 2QA
Tel.: +44 (020) 7323 5004 · Fax.: +44 (020) 7636 8004

Prestel Publishing · 900 Broadway, Suite 603 · New York, NY 10003
Tel.: +1 (212) 995 2720 · Fax.: +1 (212) 995 2733
www.prestel.com

Übersetzungen | Translated by | Tradotto da: Franco Mattoni (Italienisch | Italian | Italiano)
und Paul Aston (Englisch | English | Inglese)
Projektkoordination | Projekt co-ordination | Coordinazione del Progetto: Victoria Salley
Lektorat | Copy-editing | Copy-editing: Stephan Thomas
Gestaltung | Design | Grafica: zwischenschritt, München
Layout und Satz | Layout and Typesetting | Impostazione Tipografica: a.visus, München
Lithografie, Druck und Bindung | Lithography, Printing and Binding |
Litografia, Stampa e Rilegatura: Grasl Druck & Neue Medien, A-2540 Bad Vöslau

Printed in Austria on acid-free paper
ISBN 3-7913-3138-8

DIE VERWIRKLICHUNG EINES BAROCKEN TRAUMS
THE REALISATION OF A BAROQUE DREAM
LA REALIZZAZIONE DI UN SOGNO BAROCCO

Wer das LIECHTENSTEIN MUSEUM in Wien besucht, der kann einen der bedeutendsten und besterhaltenen Barockpaläste Wiens geniessen, die letzten Reste der kühnen Utopie einer fürstlichen Landresidenz mit Garten, Kirche und einer Siedlung für die Ackerbürger, die Fürst Johann Adam Andreas I. von Liechtenstein um 1700 verwirklicht hat. Noch immer sind das grandiose Liechtensteinische Gartenpalais und die ihm zugeordnete fürstliche Patronatskirche, die heutige Lichtentaler Pfarrkirche, virtuell auf der alten barocken Achse miteinander verbunden, doch im 18. und 19. Jahrhundert hat sich das Quartier um die Kirche so verdichtet, dass der Zusammenhang mit dem südlich gelegenen, durch hohe Mauern von der Umgebung abgeschotteten Gartenpalais nicht mehr zu spüren ist. Und auch das Palais selber in seinem mehrfach überarbeiteten Garten, umgeben von den neueren Bauten des Bezirks Alsergrund, kann die grossartige räumliche Komposition nur mehr anklingen lassen, die diesen barocken Sommersitz vor den Toren Wiens so einzigartig gemacht hat. Bei den ersten Planungen für das Gelände war noch Johann Bernhard Fischer von Erlach, der spätere Grossmeister des Wiener Hochbarocks, beteiligt. Er dürfte den Generalplan für das lang gestreckte Grundstück entworfen, die Aufreihung der Bauten konzipiert haben. Die zentrale Süd-Nord-Achse führte

Anyone visiting the LIECHTEN-STEIN MUSEUM in Vienna is in for a treat. The building is one of the best-surviving Baroque palaces in Vienna, the last remnant of the bold utopia of a prince's country seat with the associated formal garden, church and housing for the tenant farmers which Prince Johann Adam Andreas I von Liechtenstein had constructed around 1700. The grand Liechtenstein Garden Palace and attached palace church (nowadays Liechtental parish church) are still notionally linked with one another on the old Baroque axis. However, in the eighteenth and nineteenth centuries the area around the church became so built up that the connection with the Garden Palace to the south, which is screened from its surroundings by high walls, is no longer visibly evident. And even the palace itself in its much altered garden, surrounded by the more recent buildings of the Alsergrund district, can convey the tremendous spatial composition that made this Baroque summer residence at the gates of Vienna so unique. The initial planning for the site still involved Johann Bernhard Fischer von Erlach, the later grand master of Viennese High Baroque. He probably designed the general plan for the elongated piece of land and drew up a scheme for the sequence of buildings. The central north-south axis led from

Chi oggi visita il LIECHTENSTEIN MUSEUM di Vienna può ammirare uno dei palazzi barocchi più importanti e meglio conservati della capitale austriaca e quel che resta dell'audace utopia di una residenza principesca di campagna provvista di giardino, chiesa e alloggi dei contadini, così come essa era stata realizzata dal principe Giovanni Adamo Andrea I di Liechtenstein attorno al 1700. Il grandioso Palazzo Liechtenstein e la principesca chiesa del Patrono ad esso associata, oggi chiesa parrocchiale di Lichtental, sono tuttora virtualmente collegate l'una all'altra sul vecchio asse barocco; nel XVIII e XIX secolo l'insediamento attorno alla chiesa si è andato infittendo a tal punto da non far più percepire il nesso esistente con il Palazzo Liechtenstein, situato nella zona meridionale e separato dall'ambiente circostante da alti muri. Anche il palazzo stesso, con i suoi giardini più volte rielaborati e circondati dai nuovi edifici del quartiere di Alsergrund, non riesce più ad evocare quella grandiosa composizione di spazi che rendeva assolutamente unica questa residenza estiva barocca alle porte di Vienna. Al primo progetto per la realizzazione dell'area partecipò anche Johann Bernhard Fischer von Erlach, che sarebbe poi diventato gran maestro del barocco maturo viennese. A lui è attribuito il progetto generale dell'area, che si sviluppava per la sua lunghezza, come pure l'allineamento degli edifici. L'asse centrale nord-sud partiva dalla corte d'onore,

Johann Bernhard Fischer von Erlach
1656–1723
Entwurf für die Fassade des Lustgartengebäudes, 1721

Johann Bernhard Fischer von Erlach
1656–1723
Design for the façade of the pleasure
garden building, 1721

Johann Bernhard Fischer von Erlach
1656–1723
Progetto della facciata del palazzo
di delizie, 1721

Johann Bernhard Fischer von Erlach
1656–1723
Entwurf für ein fürstliches Lustgarten-
gebäude, 1687/88

Grundriss des Lustgartengebäudes,
1721

Johann Bernhard Fischer von Erlach
1656–1723
Design for a princely pleasure garden
building, 1687/88

Ground plan of the pleasure garden
building, 1721

Johann Bernhard Fischer von Erlach
1656–1723
Progetto di un palazzo di delizie
principesco, 1687/88

Pianta del palazzo di delizie, 1721

vom Ehrenhof, der von den Stallun-
gen umgeben war, über das quer-
liegende Palais, durch die strenge
Geometrie des Gartens auf die Terrassen des Belvederes zu, sprang
dann weiter in die Idealstadt hin-
über, wo sie dem Strassenraster sei-
ne Ausrichtung gab und die Stelle
für die Kirche markierte, und ende-
te stadtauswärts am sechseckigen
Kubus eines Brauhauses.
Von all diesen anvisierten Bauten
entlang der Achse im Lichtental

the *cours d'honneur*, which was
surrounded by stabling, via the
palace that lies across it, through
the austere geometry of the garden up to the terraces of the
Belvedere, whence it continued
through the planned town, estab-
lishing the orientation of the street
layout and marking the site for
the church. It ended at the far
edge of the town in the hexagonal
cube of a brewery.
Of all the features envisaged,

che era circondata dagli edifici delle
stalle, superava il palazzo disposto
trasversalmente, seguiva la severa
geometria del giardino fino alle terrazze del Belvedere, continuava nella
città ideale, dove conferiva l'orientamento al reticolo stradale e contras-
segnava il punto previsto per la chiesa per terminare, in direzione fuori
città, nell'edificio esagonale che
ospitava un piccolo birrificio.
Di tutti questi edifici che dovevano
essere costruiti lungo l'asse, Fischer

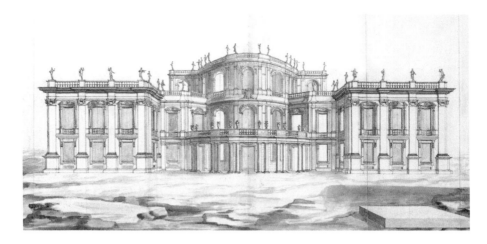

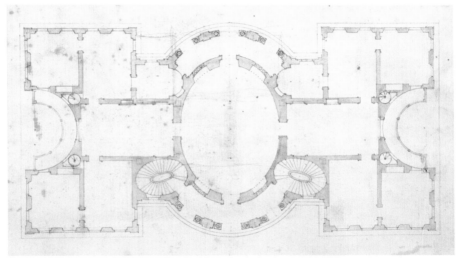

konnte Fischer von Erlach nur die effektvolle Kulissenarchitektur des Belvederes mit dem auf die Kirche ausgerichteten grossen Rundbogen in der Mitte, mit den ausladenden Terrassen und den gewundenen Treppenläufen selber gestalten. Doch auch dieses wunderbare Lustgebäude blieb der Nachwelt nicht erhalten; es wurde mehrfach umgebaut und schliesslich 1875 durch den breit ausladenden historistischen Neubau von Heinrich von

Fischer von Erlach himself was only involved in the scheme long enough to design the dramatic theatrical architecture of the Belvedere with the arch in the middle oriented towards the church, the projecting terraces and winding flights of steps. But even this wonderful pleasure pavilion failed to survive into modern times. It was altered several times, and finally replaced in 1875 by a new, longer structure in the

von Erlach riuscì a realizzare solo la teatrale architettura ad effetto del Belvedere che comprendeva il grande arco rivolto verso la chiesa, situata al centro, le ampie terrazze e le sinuose scalinate. Ma neanche questo edificio venne tramandato ai posteri; dopo essere stato più volte modificato fece posto infine, nel 1875, all'ampio nuovo edificio di Heinrich von Ferstel, che se da un lato, nella sua parte centrale, ricorda le forme barocche della porta dell'edificio precedente,

Ferstel ersetzt, der zwar in seiner Mittelpartie die barocken Torformen des Vorgängerbaus zitiert, aber den zum Landschaftspark umgestalteten Garten nach Norden mächtig abriegelt.

Von Fischers Belvedere aus hatte man im frühen 18. Jahrhundert noch einen schönen Rundblick über die Ausläufer der Donauauen auf den Kahlenberg und den Leopoldsberg. Wie prächtig aber insbesondere der Blick über den Garten zurück auf das Palais war, zeigt die grossartige Ansicht, die Bernardo Bellotto ein gutes halbes Jahrhundert nach der Fertigstellung des Baus gemalt hat.

Sie lässt erkennen, wie die rasch expandierende Stadt im Lauf des 18. Jahrhunderts auf das ehemals frei gelegene Gartenpalais und seinen ummauerten Garten zugewachsen ist, sie zeigt aber auch, in welche Richtung Fürst Johann Adam Andreas I., der italienisch geschulte Bauherr, um 1690 die Architektur seines Palais' hat modifizieren lassen. Fischer hatte in seinen unterschiedlichen Vorschlägen noch einen stark plastisch gegliederten Baukörper als Palais errichten und so auf das lebendige Vor und Zurück seines Belvederes reagieren wollen. Doch die vom Bauherren herbeigebetenen italienischen Baukünstler – nur ihnen traute er wahrhaft Grosses zu – schlugen eine massig geschlossene, palazzoartige Stadtvilla im römischen Stil vor.

Historicist vein designed by Heinrich von Ferstel. Though Ferstel borrowed the Baroque entrance gateway style of the predecessor building for the centre part of his design, his building monumentally blocks off the garden, now refashioned into a landscaped park, towards the north.

In the early eighteenth century, you would still have had a wonderful panoramic view from Fischer's Belvedere over the outlying Danube meadows towards Kahlenberg and Leopoldsberg. Even more splendid was the view across the formal garden back towards the palace. This we know from a magnificent picture by Bernardo Bellotto a good half-century after the building was completed. It was painted for one of his heirs. It already shows how quickly urban expansion in the eighteenth century was encroaching on the formerly isolated garden palace and its walled garden. It also shows in what way Prince Johann Adam Andreas I, as an Italian-trained patron, had the architecture of his palace altered around 1690. In his various proposals, Fischer had come up with the idea of a heavily three-dimensional look for the palace so as to respond to the busy forwards and back of his Belvedere design. But the Italian architects the prince called in – only they could be trusted with really great things, he thought – proposed a

dall'altro, però, costituisce un possente sbarramento verso nord al giardino, trasformato in un parco all'inglese.

All'inizio del XVIII secolo, dal Belvedere di Fischer si poteva godere un'eccellente veduta panoramica delle propaggini delle zone umide del Danubio e sulle colline del Kahlenberg e del Leopoldsberg. La veduta, però, era particolarmente idilliaca soprattutto verso il giardino ed il palazzo.

Lo si evince anche dal dipinto che Bernardo Bellotto realizzò per uno degli eredi del principe oltre mezzo secolo dopo il completamento del complesso architettonico. Esso lascia intuire come nel XVIII secolo lo sviluppo urbanistico di Vienna, che stava conoscendo una rapida espansione, cominciasse ad interessare anche l'area del Palazzo Liechtenstein, un tempo deserta, ed il suo giardino circondato da muri. Il dipinto, però, evidenzia anche l'orientamento di fondo che ispirava il principe Giovanni Adamo Andrea I, il committente della costruzione che ben conosceva l'architettura italiana, avendone fatto la conoscenza alle origini, allorché egli, attorno al 1690, fece modificare l'architettura del suo palazzo. Nelle differenti proposte da lui presentate, Fischer caldeggiava ancora, per il palazzo, l'idea di un corpo strutturato in modo fortemente plastico intendendo reagire, in questo modo, al vivace alternarsi delle superfici del suo Belvedere. Ma gli architetti italiani chiamati dal principe – che reputava i soli in grado di realizzare qualcosa di

Prospectus PALATII PRINCIPIS DE LICHTENSTEIN in Suburbio vulgo Roßau. Prospect Ihro Hochfürstl. Gnaden von Liechtenstein Palaü vor der Stadt in der Roßau.

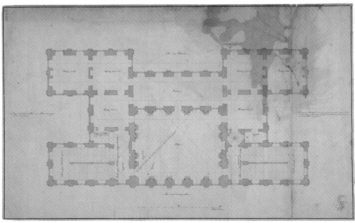

Salomon Kleiner 1703–1761
Südfassade und Ehrenhof des Garten-
palais Liechtenstein, um 1722

Domenico Egidio Rossi 1678–1742
Grundriss des Piano Nobile zum
Gartenpalais Liechtenstein, 1690

Salomon Kleiner 1703–1761
South front and cours d'honneur of the
Liechtenstein Garden Palace, c. 1722

Domenico Egidio Rossi 1678–1742
Ground plan, piano nobile of the
Liechtenstein Garden Palace, 1690

Salomon Kleiner 1703–1761
Facciata sud e corte d'onore del Palazzo
Liechtenstein, intorno al 1722

Domenico Egidio Rossi 1678–1742
Pianta del Piano Nobile del Palazzo
Liechtenstein, 1690

S. 12/13 pp. 12/13 pag. 12/13

Salomon Kleiner 1703–1761
**Vogelschau auf das Gartenpalais
Liechtenstein in der Rossau und das
Liechtenthal, 1732**

Salomon Kleiner 1703–1761
Bird's-eye view of the Liechtenstein
Garden Palace in Rossau and the
Liechten Valley, 1732

Salomon Kleiner 1703–1761
Veduta dall'alto sul Palazzo
Liechtenstein nella Rossau e sul
Lichtenthal, 1732

Bernardo Bellotto 1720–1780
**Das Gartenpalais Liechtenstein
in Wien vom Belvedere, 1759/60**

Bernardo Bellotto 1720–1780
The Liechtenstein Garden Palace
in Vienna, Seen from the Belvedere,
1759/60

Bernardo Bellotto 1720–1780
Il Palazzo Liechtenstein di Vienna
visto dal Belvedere, 1759/60

Die verblüffend klare und logische Binnenstruktur dieses nach Wien überführten Bautyps ist das Verdienst von Domenico Egidio Rossi, einem italienischen Wanderarchitekten, der 1691 mit den Arbeiten begann. Rossi, in Bologna ausgebildet, in jener Stadt, von der sich der Fürst besondere künstlerische Leistungen erhoffte, schlug in schönen Zeichnungen einen plastisch gegliederten zweigeschossigen Querriegel mit einem mächtig überhöhten Festsaal in der Mitte und einer Sala Terrena darunter vor. Auch die beiden grandiosen Treppenhäuser, die im vorderen Drittel des Gebäudes beidseitig die gesamten Seitenflügel einnehmen und hinauf zum Saal führen, wurden noch von ihm konzipiert. Doch schon nach wenigen Monaten wurde Rossi von Domenico

massively closed, palazzo-style urban villa in the Roman style. The astonishingly clear and logical internal structure of this building type, as first proposed for Vienna, was the merit of Domenico Egidio Rossi, an itinerant Italian architect. Work began in 1691. Trained in Bologna, a city the prince had great artistic expectations of, Rossi created some fine drawings of a sculpturally articulated two-storey block with a massive, lofty Great Hall in the centre and a *Sala Terrena* below. The two grand stairwells, which occupy the entire side wings in the front third of the building on each side and lead up to the hall, were also designed by him.
But after only a few months Rossi was replaced by Domenico

veramente grandioso – proposero una villa cittadina massiccia e compatta in stile romano che si ispirava all'architettura di un tipico palazzo italiano.
La struttura interna sorprendentemente chiara e logica di questo genere di architettura trapiantata a Vienna va ascritta a Domenico Egidio Rossi, un architetto itinerante italiano che diede inizio ai lavori nel 1691. Rossi, che aveva studiato a Bologna, la città dalla quale il principe si riprometteva risultati artistici particolari, propose, in una serie di accattivanti disegni, un blocco architettonico trasversale a due piani, dalla struttura molto plastica, con una possente Sala delle Feste rialzata al centro ed una sottostante Sala Terrena. Anche le due grandiose trombe delle scale, che nel terzo anteriore dell'edificio occupano, su entrambi i lati, le intere ali laterali

Bernardo Bellotto 1720–1780
Das Gartenpalais Liechtenstein in Wien
von Osten, 1759/60

Bernardo Bellotto 1720–1780
The Liechtenstein Garden Palace
in Vienna from the East, 1759/60

Bernardo Bellotto 1720–1780
Il Palazzo Liechtenstein di Vienna
visto da est, 1759/60

Johann Wilhelm Weinmann
N. 702. a. Malus citria,
b. Malus Limonia, c. Adams Apfel

N. 703. a. Malus Sive Poma Adami
Spinosum, b. Quitten Apfel,
c. gehörnte Quitten,
Kupferstich, aquarelliert, 1737–1745

Johann Wilhelm Weinmann
N. 702. a. Malus citria,
b. Malus Limonia, c. Adam's apple

N. 703. a. Malus Sive Poma Adami
Spinosum, b. Quince,
c. horned quince,
engraving, watercolour, 1737–1745

Johann Wilhelm Weinmann
N. 702. a. Malus citria,
b. Malus Limonia, c. Mela di Adamo

N. 703. a. Malus Sive Poma Adami
Spinosum, b. Mela cotogna,
c. Mela cotogna, incisione colorata ad
acquarello, 1737–1745

Ausgestaltung erst im Jahr 1704, als er mit dem renommierten Stukkateur Santino Bussi einen Kontrakt zur Stuckierung der Räume im Erdgeschoss abschlossen hatte und den schon zu Lebzeiten legendären italienischen Freskanten und Theoretiker der illusionistischen Deckenmalerei, Andrea Pozzo – er malte gerade das Längsschiff der Wiener Jesuitenkirche aus –, als Gestalter für den Festsaal seines Gartenpalais gewinnen konnte.

Für die übrigen Räume im Piano Nobile liess sich der bauhungrige Fürst, da sein Bologneser Lieblingsmaler Marcantonio Franceschini zu einer Reise nach Wien nicht zu überreden war, nach seinen Vorstellungen und Massangaben Ölbilder in Italien malen, die anstelle von Fresken in die schon fertigen Stuckdekorationen eingepasst wurden.

to do the plasterwork of the ground-floor rooms. He also succeeded in obtaining the services of Andrea Pozzo (the celebrated Italian fresco painter and writer on illusionist ceiling painting and a legend in his lifetime) as the interior designer of the Great Hall in the Garden Palace. At the time, Pozzo was working on the nave of the Jesuit church in Vienna.

For the other rooms on the *piano nobile*, the construction-minded prince had oil paintings painted in Italy to size and in accordance with his own ideas, as his favourite Bolognese painter Marcantonio Franceschini could not be persuaded to travel to Vienna. These were then accommodated to the already completed plasterwork in place of frescoes.

Thus in the public rooms on the Italianate principal storey only

artistico-architettonico si ebbe nel 1704, quando riuscì a stipulare un contratto con il rinomato stuccatore Santino Bussi per la realizzazione di stucchi nelle sale a pianterreno e ad assicurarsi i servigi dell'affrescatore e teorico italiano della pittura illusionistica dei soffitti Andrea Pozzo. A Pozzo, artista leggendario già durante la sua vita e all'epoca impegnato a dipingere la navata centrale della Chiesa viennese dei Gesuiti, il principe commissionò la realizzazione della Sala delle Feste del suo Palazzo Liechtenstein. Per le restanti stanze del Piano Nobile, il principe, avido di realizzare nuove opere ma nell'impossibilità di persuadere il suo pittore bolognese preferito Marcantonio Franceschini a recarsi a Vienna, fece realizzare in Italia, su sue precise direttive che riguardavano anche le dimensioni delle opere, dipinti ad olio che poi vennero incassati nelle decorazioni stuccate al posto degli affreschi.

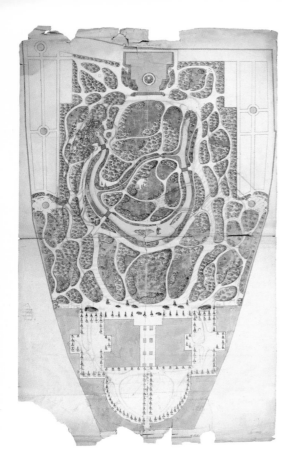

Im repräsentativen Hauptgeschoss des italienisch gemeinten Gartenpalais' kamen also nur Künstler aus Italien zum Einsatz. Im Erdgeschoss musste sich Johann Adam Andreas I. aber mit einem Kompromiss zufrieden geben, mit einer regionalen Lösung, die ihm einen Ehrenplatz im barocken Himmel Österreichs sichern sollte. Im Oktober 1705 verpflichtete er, von den Verhandlungen mit den Italienern zermürbt, den Salzburger Maler Johann Michael Rottmayr, der gerade den Grossen Saal in der kaiserlichen Sommerresidenz Schönbrunn ausgemalt hatte, für die Deckenbilder im Erdgeschoss und in den

Italian artists were employed. On the ground floor, Johann Adam Andreas I had to accept a compromise however. The result was a regional solution that would secure him a place of honour in Austria's Baroque firmament. In October 1705, fed up with negotiating with the Italians, he commissioned Salzburg painter Johann Michael Rottmayr, who had just completed the Great Hall of the imperial summer residence at Schönbrunn, to do the ceiling paintings on the ground floor and the two stairwells, and so, almost involuntarily, became a co-founder of a great

Nel piano principale rappresentativo del Palazzo Liechtenstein di ispirazione italiana lavorarono, dunque, esclusivamente artisti italiani. Al pianterreno, tuttavia, il principe Giovanni Adamo Andrea I dovette accettare un compromesso, una soluzione a carattere regionale che gli avrebbe assicurato un posto d'onore nel firmamento del barocco austriaco. Nell'ottobre 1705, logorato dalle estenuanti trattative con gli artisti italiani, il principe ingaggiò, per i dipinti del soffitto al pianterreno e per entrambe le trombe delle scale, il pittore salisburghese Johann Michael Rottmayr, che aveva appena terminato di dipingere la Sala Grande della residenza imperiale estiva di

beiden Treppenhäusern und wurde so, fast gegen seinen Willen, zum Mitbegründer einer grossen lokalen Maltradition. Als bei der jüngsten Restaurierung des Palais' die verloren geglaubten Fresken Rottmayrs in den beiden Treppenhäusern wieder entdeckt wurden, stand die Kunstwelt staunend vor einem zwar partiell übertünchten, vielfältig durchlöcherten, aber in den erhaltenen Partien mit einzigartiger Frische aufleuchtenden Meisterwerk der hochbarocken Malkunst Österreichs.

local tradition. When the supposedly lost frescoes by Rottmayr in the two stairwells were rediscovered during the most recent restoration works at the palace, the art world stood back in amazement. Though to some extent distempered over and peppered with holes, the surviving parts revealed a gleaming masterpiece of Austrian High Baroque painting of unique freshness.

Schönbrunn e che in questo modo diventò, quasi contro la sua volontà, uno dei cofondatori di una grande tradizione pittorica locale. Quando, durante il restauro del palazzo, nelle due trombe delle scale vennero riscoperti gli affreschi di Rottmayr, che erano stati dati per persi, il mondo dell'arte ha potuto ammirare con stupore un capolavoro dell'arte pittorica del barocco maturo austriaco, invero in parte imbiancato e con numerosi buchi, ma che, nelle parti ben conservate, faceva trasparire una freschezza unica.

S. 26/27 pp. 26/27 pag. 26/27

**Südfassade des Gartenpalais
Liechtenstein in der Rossau**

South façade, Liechtenstein Garden
Palace in Rossau

Facciata sud del Palazzo Liechtenstein
nella Rossau

**Sala Terrena des Gartenpalais
Liechtenstein in der Rossau**

Sala Terrena, Liechtenstein Garden
Palace in Rossau

Sala Terrena del Palazzo Liechtenstein
nella Rossau

Giovanni Giuliani 1663–1744
Die sterbende Cleopatra und der Tanzende Faun in der Sala Terrena des Gartenpalais, um 1700

Giovanni Giuliani 1663–1744
The dying Cleopatra and the dancing faun in the Sala Terrena, Garden Palace, *c.* 1700

Giovanni Giuliani 1663–1744
Cleopatra morente ed il Fauno danzante nella Sala Terrena del Palazzo Lichtenstein, intorno al 1700

EIN RUNDGANG DURCH DAS GARTENPALAIS
A TOUR THROUGH THE GARDEN PALACE
UN GIRO PER IL PALAZZO LIECHTENSTEIN

Die heutigen Besucher des LIECHTENSTEIN MUSEUM können das Palais, das im 18. Jahrhundert noch hinter einer hohen Umfassungsmauer und hinter den umfänglichen Stallbauten des halbrunden Ehrenhofs verborgen war, schon von der Fürstengasse aus sehen. Im Jahr 1814 hat Joseph Kornhäusel, der wichtigste Architekt des Wiener Biedermeiers, die Bauten am Scheitel des Halbrunds abgerissen, den heute noch vorhandenen Zaun und das klassizistische Tor als neues Entree an ihre Stelle gesetzt und so das bis dahin absolutistisch abgekapselte Ensemble, das seit einigen Jahren als Galeriegebäude öffentlich zugänglich war, zur Bürgerstadt hin geöffnet. Auch der für Standeszeremonien konzipierte leere, weite Halbkreis des Ehrenhofs wurde damals den veränderten Bedürfnissen angepasst und mit kleinteiligen Grünanlagen zum Vorgarten umgewidmet.

Beim Betreten des Palais' durch einen der fünf Rundbögen des Mittelrisalits bekommt der Besucher die Gravità des italienisch geprägten Wiener Hochbarocks und seines ›Vollstreckers‹ Martinelli zu spüren. Martinelli hat die von Rossi konzipierte, geschlossene Sala Terrena im Mittelbau mit ihren beiden fünfjochigen Vorhallen zu einer einzigen grossen Pfeilerhalle zusammengefasst und zum Hof wie zum Garten hin geöffnet. So entstand ein grosszügiges, offen flutendes Raumgebilde zwischen den

Visitors to the LIECHTENSTEIN MUSEUM today can already see the building from Fürstengasse – in the eighteenth century, it was concealed behind a high encircling wall and behind the extensive stable buildings of the semi-circular *cours d'honneur*. In 1814, Joseph Kornhäusel, the leading architect of Viennese Biedermeier, had the buildings at the apex of the semi-circle torn down and replaced by the still existing fence and neo-classical gateway, as a new main entrance to the site. This opened up the hitherto enclosed absolutist ensemble (which by then had already been publicly accessible as a gallery building for some years) towards the burgher city. The large, empty space of the *cours d'honneur* originally intended for court ceremonial was adapted for new uses and converted into an outer garden with small areas of greenery.

On entering the palace through one of the five round arches in the centre block, visitors are greeted with the almost tangible *gravità* of the Viennese Italianate High Baroque style that Martinelli inaugurated. Martinelli converted the closed *Sala Terrena* with two five-bay vestibules envisaged by Rossi in the centre block into a single large pillared hall, opening it out towards both courtyard and garden. The result was a capacious space between the two open areas

Gli odierni visitatori del LIECHTENSTEIN MUSEUM sono in grado di intravedere il palazzo, che nel XVIII secolo era ancora nascosto dietro alti muri perimetrali e dietro i voluminosi edifici delle stalle della corte d'onore semicircolare, sin dalla Fürstengasse. Nel 1814 Joseph Kornhäusel, il principale architetto del Biedermeier viennese, aveva demolito gli edifici presenti sul vertice dell'emiciclo creando, al loro posto, il recinto ancora esistente e, come entrata, la porta classicheggiante; in questo modo l'agglomerato, fino all'epoca rigorosamente isolato come voleva il concetto dell'assolutismo, anche se reso accessibile da alcuni anni come galleria, si era aperto verso la città borghese. Anche l'ampio emiciclo della corte d'onore, concepito come luogo di cerimonia, venne adattato alle mutate esigenze dell'epoca e trasformato in giardino con piccole zone verdi frazionate.

Entrando nel palazzo attraverso uno dei cinque archi a tutto sesto della parte centrale dell'edificio, il visitatore avverte tutto il peso del barocco maturo e del suo grande interprete Martinelli. Egli aveva riunito la Sala Terrena chiusa dell'edificio centrale, concepita da Rossi, ed i tre atrii a cinque archi, dando vita ad un'unica grande sala ipostila che si apriva sia verso la corte sia verso il giardino. Era nato, così, uno spazio generosamente dimensionato, tendente all'apertura, situato tra le due aree libere e i cui portali, più tardi, dovettero essere provvisti di vetri. Anche dopo

Nicolas Pineau 1684–1754
**Der Goldene Wagen des Fürsten
Joseph Wenzel von Liechtenstein, 1738
in der Sala Terrena des Gartenpalais
Liechtenstein**

Nicolas Pineau 1684–1754
**The Gilded Coach of Prince Joseph
Wenceslas of Liechtenstein, 1738
Sala Terrena, Liechtenstein Garden
Palace**

Nicolas Pineau 1684–1754
La Carrozza Dorata del principe
Giuseppe Venceslao di Liechtenstein,
1738, nella Sala Terrena del Palazzo
Liechtenstein

beiden Freibereichen, dessen
Portale später freilich verglast
werden mussten. Die Deckenbilder,
die Rottmayr für die Sala Terrena
gemalt hat, lassen auch nach der
jüngsten Restaurierung noch eini-
ges von den Witterungseinflüssen
und den unsachgemässen Restau-
rierungen ahnen, denen sie aus-
gesetzt waren.
Um den Rang von Rottmayrs Kunst
beurteilen zu können, begibt man
sich darum besser in die Säle der
Seitenflügel, in denen sich die
Fresken in ihrer wunderbaren Far-
bigkeit erfreulich frisch erhalten
haben. In den Herrenapartments
harmoniert die erstrangige hoch-
barocke Ausstattung aufs glück-
lichste mit dem ab 1912 aus dem
klassizistischen Palais der Familie

which is often flooded with natural light (later of course the
open doorways had to be glazed
in. Despite the recent restoration
work, the ceiling paintings that
Rottmayr executed for the *Sala
Terrena* still reveal the effects
of weathering and the inexpert
restorations they were previously
subjected to.)
To get an idea of the quality of
Rottmayr's work, it is therefore
better to go to the rooms in the
side wings, where the frescoes
have thankfully retained all the
freshness of their marvellous
coloration. In the prince's apartments, the first-class High Baroque
interiors harmonise superbly with
the furnishings brought over from
a neo-classical *palais* owned by

il recente restauro, i dipinti del soffitto
realizzati da Rottmayr per la Sala
Terrena danno una vaga idea dell'effetto su di essi prodotta, nel corso
degli anni, dagli agenti atmosferici e
da interventi di restauro non sempre
appropriati.
Per poter giudicare il livello artistico
di Rottmayr si consiglia, pertanto, di
recarsi nelle sale delle ali laterali, in
cui gli affreschi hanno fortunatamente
mantenuto tutta la freschezza dei loro
meravigliosi colori. Negli appartamen-
ti dei gentiluomini, il raffinato arredamento barocco armonizza perfetta-
mente con il mobilio di ispirazione
classica della Biblioteca Liechtenstein
li trasferito a partire dal 1912 da un
palazzo del centro parigino ed inte-
grato con grande sensibilità. Gli ap-
partamenti delle gentildonne, situati

Johann Michael Rottmayr 1654–1730
Deckenfresko Aufnahme der
Andromeda in den Olymp im Damen-
appartement, 1705–1708

Johann Michael Rottmayr 1654–1730
Ceiling fresco of Andromeda being
taken up to Mount Olympus, Women's
Apartments, 1705–1708

Johann Michael Rottmayr 1654–1730
Affresco Ammissione di Andromeda
nell'Olimpo sul soffitto di un appartamento delle gentildonne, 1705–1708

Johann Michael Rottmayr 1654–1730
Deckenfresko Ariadne reicht Theseus
den Faden im Damenappartement,
1705–1708

Johann Michael Rottmayr 1654–1730
Ceiling fresco of Ariadne handing
Theseus the thread, Women's Apart-
ments, 1705–1708

Johann Michael Rottmayr 1654–1730
Affresco Arianna dà il filo a Teseo
sul soffitto di un appartamento delle
gentildonne, 1705–1708

**Projekt mit Spolien für die Bereiche-
rung der Treppenhäuser, um 1895**

Project with improvements to the
stairwells, *c.* 1895

Progetto per l'arricchimento delle
trombe delle scale, intorno al 1895

**Santino Bussi 1664–1736
Stuckdekoration am Bogen des
Westtreppenhauses im Gartenpalais
Lichtenstein, um 1704**

Santino Bussi 1664–1736
Stucco decoration on the arch of the
west stairwell of the Liechtenstein garden palace, *c.* 1704

Santino Bussi 1664–1736
Stucco sull'arco della tromba delle
scale ovest del Palazzo Liechtenstein,
intorno al 1704

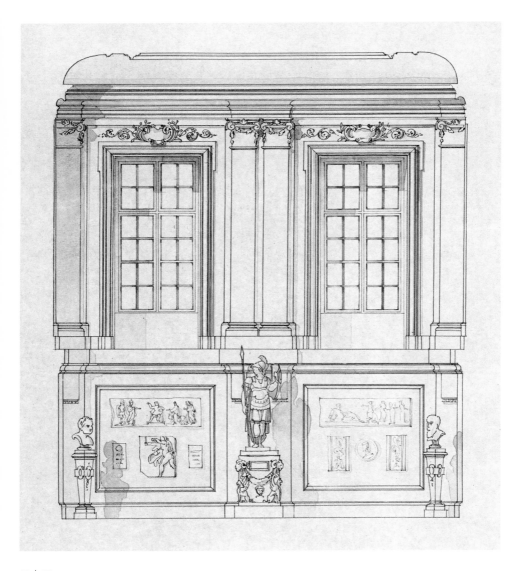

übertragenen und sensibel einge-
passten Möbelwerk der Liechtensteinischen Bibliothek.
In den Damenapartments im ande-
ren Flügel lässt sich die an römischen Vorbildern orientierte Monu-
mentalität der Erstausstattung am
eindrucksvollsten erleben. Und
auch die singuläre plastische Qua-
lität der Stuckarbeiten von Santino
Bussi – der Italiener beherrschte
virtuos alle Techniken von der feins-
ten grafischen Ritzung im flachen
Grund über das Relief bis zur voll-
plastischen Ausformung – lässt sich
nach der Beseitigung der darüber
geschmierten teigigen Schichten
wieder in ihrer ganzen Schärfe
erleben.
Den erhabensten Raumeindruck hat
der Besucher aber beim Aufstieg in

the family and sensitively adapted
to the Liechtenstein library from
1912 onwards. In the ladies' apartments in the other wing, the
rooms convey very impressively
the classical monumentality of the
original interiors in the spirit of
Roman models. And following the
removal of the doughy layers
covering it, Santino Bussi's plasterwork can once again be admired
in all its remarkable quality and
sharpness. The Italian artist was a
virtuoso master of all techniques,
from the most delicate sgraffito
on flat backgrounds through
reliefs to full sculptural model-
ling.
However, the most sublime spatial
effects are to be seen when you
walk up one of the two extrava-

nell'altra ala, permettono di avvertire
al meglio la monumentalità del primo
arredamento che si ispirava ai modelli
romani. Qui, dopo la rimozione degli
strati pastosi che vi erano stati spal-
mati sopra, possono ora venir nuova-
mente ammirati in tutta l'incisività del
tocco dell'artista, anche gli stucchi di
Santino Bussi che si distinguono per
la loro singolare plasticità. L'artista
italiano padroneggiava tutte le tecni-
che allora conosciute con spiccato
virtuosismo, dall'incisione grafica più
raffinata su fondo piatto al bassorilie-
vo, fino alla realizzazione scultorea.
L'impressione più solenne dello spazio, però, il visitatore la percepisce
salendo una delle due scalinate inter-
ne laterali abbondantemente dimen-
sionate per arrivare al Piano Nobile
e alla Sala di Ercole. Il fatto che in

Franz Xaver Messerschmidt 1736–1783
Elisa mehrt das Öl der Witwe,
1769/70

Franz Xaver Messerschmidt 1736–1783
Elissa filling the widow's barrels with
oil, 1769/70

Franz Xaver Messerschmidt 1736–1783
Elisa moltiplica l'olio della vedova,
1769/70

einem der beiden verschwenderisch dimensionierten seitlichen Treppenhäuser hinauf ins Piano Nobile und in den Herkulessaal. Dass in diesen hohen Hallen die um 1810 aus einem Palais der Innenstadt herbeigeschafften und über die Originalfresken gelegten Deckenbilder von Antonio Bellucci entfernt und die zwar beschädigten, aber stellenweise wie am ersten Tag leuchtenden Originalfresken von Rottmayr wieder herausgeschält wurden, gehört zu den Glücksfällen, an denen die jüngste Wiedererweckung des Hauses als fürstliches Museum reich war. Wenn Rottmayrs Fresken wieder rekonstruiert sind, werden sie mit ihrer verblüffenden Farbenpracht einen neuen Massstab setzen für die Beurteilung der österreichischen Barockmalerei.

Weit in die Geschichte vorausgegriffen hat jedenfalls Andrea Pozzo, der Altmeister der Deckenmalerei aus Rom, mit seinem bildnerischen Gesamtkunstwerk im Herkulessaal des Liechtensteinischen Gartenpalais'. Pozzo trieb die monumentale Säulenordnung der Wände im Saal so konsequent bis zur Decke hoch, dass die meisterlich gemalte Scheinarchitektur darüber illusionistisch perfekt emporgestemmt wird und die Taten des Herkules, die sich in dem gemalten Architekturwirbel ereignen, eine geradezu irreale körperliche Präsenz bekommen. Im offenen Himmel darüber stellte Pozzo dann dar, was sich wohl auch sein Auftraggeber,

gantly dimensioned lateral stairwells to the *piano nobile* and the Hercules Room. That the ceiling paintings by Antonio Bellucci brought to these lofty halls around 1810 from a city-centre *palais* and placed on top of the original frescoes were removed to reveal the Rottmayr frescoes in all their occasionally damaged but otherwise pristine glory, is one of the many happy events that the revival of the palace as a princely museum was full of. Once Rottmayr's frescoes have been reconstructed, they and their stunning coloration will set new criteria for the assessment of Austrian High Baroque painting.

The visual masterpiece by Andrea Pozzo, the established master of ceiling painting from Rome, in the Hercules Room of the Liechtenstein Garden Palace anticipated future developments in history. Pozzo continued the monumental order on the walls in the hall so logic-ally up to the ceiling that the masterly, painted illusionist architecture is perfectly realised on high and the deeds of Hercules depicted in the maelstrom of painted architecture gained a wholly unreal corporeal presence. In the open sky above that, Pozzo then depicts what his patron, Prince Johann Adam Andreas I, as a 'Hercules of the arts' had no doubt hoped for – acceptance of the untiringly striving hero into the firmament of the gods.

queste alte sale i quadri del soffitto di Antonio Bellucci, qui portati attorno al 1819 da un palazzo del centro città e adagiati sopra gli affreschi originali, siano stati rimossi e gli affreschi originali di Rottmayr, in verità danneggiati, ma in alcuni punti ancora luminosi come il primo giorno, siano stati riportati alla luce è solo uno dei numerosi casi fortunati che hanno accompagnato il recente ripristino dell'edificio come museo principesco. Quando gli affreschi di Rottmayr saranno stati ricostruiti diventeranno, anche in virtù della loro sorprendente varietà di colori, un nuovo metro di misura per giudicare la pittura barocca austriaca.

Realizzando la sua opera d'arte pittorica nella sala a cupola del Palazzo Liechtenstein, Andrea Pozzo, il vecchio maestro romano della pittura dei soffitti, anticipò di molto la storia. Pozzo elaborò ulteriormente la monumentale disposizione delle colonne sulle pareti della sala portandole fino a soffitto con una tale coerenza che l'apparente architettura, magistralmente dipinta, viene sollevata sopra di essa creando un'illusione pressoché perfetta. Inoltre, le gesta di cui Ercole è protagonista nel turbinio architettonico lì rappresentato ricevono una presenza corporea pressoché irreale. Nel cielo aperto sovrastante, poi, Pozzo rappresentò ciò che anche il suo committente, il principe Giovanni Adamo Andrea I, si era auspicato come 'Ercole delle arti': l'entrata di questo eroe apparentemente instancabile nel firmamento degli dei.

Johann Michael Rottmayr 1654–1730
Details aus dem Deckenfresko der
Aufnahme des militärischen Genies in
den Olymp im östlichen Treppenhaus,
1705–1708

Mars und Venus
Allegorie der Architektur
Putten mit Füllhorn

Johann Michael Rottmayr 1654–1730
Admittance of the military spirit
to Mount Olympus, east stairwell,
1705–1708 (detail)

Mars and Venus
Allegory of architecture
Putti with cornucopia

Johann Michael Rottmayr 1654–1730
Particolare dell'affresco del soffitto
riferito all'ammissione del genio
militare nell'Olimpo nella tromba
delle scale est, 1705–1708

Marte e Venere
Allegoria dell'architettura
Putti con cornucopia

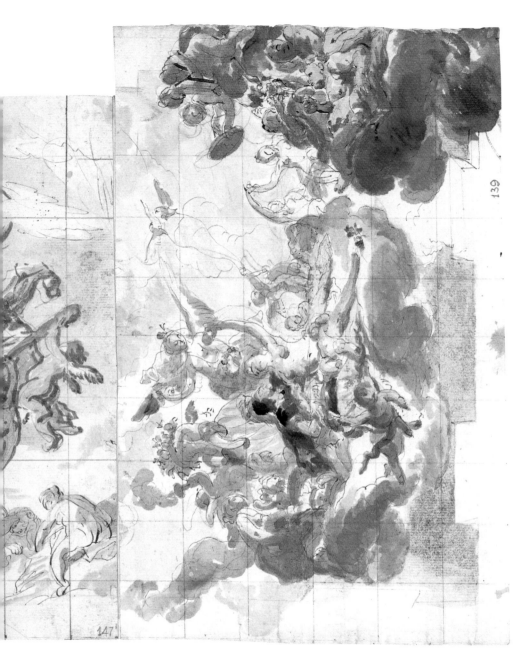

Johann Michael Rottmayr 1654–1730
Aufnahme des militärischen Genies in den Olymp, um 1705
Aquarellskizze für das Deckenfresko im östlichen Treppenhaus
Bergamo, Privatbesitz

Johann Michael Rottmayr 1654–1730
Admittance of the military spirit to Mount Olympus, east stairwell, c.1705
Watercolour sketch of the ceiling fresco, east stairwell
Bergamo, private collection

Johann Michael Rottmayr 1654–1730
Ammissione del genio militare nell'Olimpo, intorno al 1705
Schizzo in acquarello per l'affresco del soffitto nella tromba delle scale est
Bergamo, collezione privata

Andrea Pozzo 1642–1709
Detail aus dem Deckenfresko des
Herkulessaals, 1704–1708

Wandgestaltung des Herkulessaals

Andrea Pozzo 1642–1709
Ceiling of the Hercules Room,
1704–1708 (detail)

Wall, Hercules Room

Andrea Pozzo 1642–1709
Particolare dell'affresco del soffitto
della Sala d'Ercole, 1704–1708

Parete della Sala d'Ercole

Fürst Johann Adam Andreas I., als
›Herkules der Künste‹ erhofft hat:
die Aufnahme des unermüdlich
wirkenden Helden in den Himmel
der Götter.
Die fünf Türöffnungen, die aus
dem Herkulessaal ursprünglich in
die hinten zum Garten hin querlie-
gende Grosse Galerie geführt und
zusätzlich Licht in den Raum
gebracht hatten, wurden bis auf
die mittlere zugemauert, als das
Palais Anfang des 19. Jahrhunderts erstmals als Museum für
die Kunstschätze des Hauses Liechtenstein zurechtmodelliert wurde;
man brauchte Wände zum Aufhän-
gen der aus allen Besitzungen
zusammengetragenen Bilder und
Objekte. Wie damals wurden auch
beim zweiten musealen Ausbau
des Palais' im Jahr 2004 die neu

The five door openings that originally led from the Hercules room
into the Grand Gallery parallel to
the garden at the back admitted
extra light into the room. When
the palace was first converted
into a museum to house the artistic treasures of the House of Liechtenstein in the early nineteenth
century, all except the middle one
were blocked off. The solid wall
was needed to hang pictures and
objects brought together from all
the Liechtenstein estates. Just as
then, the wall space thus created
was reserved for one of the Rubens
masterpieces in the Liechtenstein
collections when the palace was
again reopened as a museum in
2004.
The Rubens series depicts the
heroic self-sacrifice of the Roman

Le cinque porte, che dalla Sala
d'Ercole conducevano originaria-
mente alla Grande Galleria disposta trasversalmente rispetto al giardino contri-
buendo anche a far entrare luce nella
sala, furono murate – con la sola
eccezione di quella centrale –
quando il palazzo, all'inizio del XIX
secolo, venne allestito per la prima
volta a museo dei tesori artistici di
casa Liechtenstein; c'era necessità
di pareti dove appendere quadri e
oggetti raccolti da tutte le proprietà.
Come già all'epoca, anche in occa-
sione del secondo ampliamento
museale del palazzo nell'anno 2004
le nuove pareti così ricavate sono
state riservate per uno dei capolavori
di Peter Paul Rubens di proprietà del
principe di Liechtenstein: il sublime
ciclo di quadri sul sacrificio estremo
del console romano Decio Mure

S.50/51 pp.50/51 pag.50/51

**Herkulessaal im Gartenpalais
Liechtenstein**

Hercules Room, Liechtenstein
Garden Palace

Sala d'Ercole nel Palazzo
Liechtenstein

**Andrea Pozzo 1642–1709
Deckenfresko mit den Taten des
Herkules und seiner Apotheose im
Herkulessaal, 1704–1708**

Andrea Pozzo 1642–1709
Ceiling fresco with the deeds and apo-
theosis of Hercules, Hercules Room,
1704–1708

Andrea Pozzo 1642–1709
Affresco del soffitto con le gesta di
Ercole e la sua apoteosi nella Sala
d'Ercole, 1704–1708

gewonnenen Wände für eines der Meisterwerke von Peter Paul Rubens aus dem Besitz der Fürsten von Liechtenstein, für den grossartigen Bilderzyklus über den Opfertod des römischen Konsuls Decius Mus, reserviert.

Im natürlichen Licht der Grossen Galerie, deren Fenster nach Norden gerichtet sind, leben die Farben von Rubens auf grandiose Weise wieder auf. Würdiger kann man Bildwerke des Barocks nicht präsentieren, ja im Verein mit Martinellis italianisierender Palastarchitektur, mit Andrea Pozzos stupendem Raumkunstwerk im Saal nebenan, mit den Freskenzyklen von Rottmayr, mit den plastischen Bildwerken von Santino Bussi und Giovanni Giuliani und mit all den exquisiten Kunst-

consul Decius Mus. In the natural light of the Grand Gallery, whose windows face north, the colours Rubens uses show at their grandiose best. No Baroque pictures could wish for a better setting. Surrounded by Martinelli's Italianate palace architecture, Andrea Pozzo's stupendous illusionist architecture in the room next door, Rottmayr's fresco series, the sculptural plasterwork by Bussi and Giovanni Giuliani and all the exquisite art objects brought to the museum in Vienna from Vaduz, the pictures in the gallery form a monument to a princely passion for the arts this could scarcely be found this a scale anywhere else in the world.

Grazie alla luce naturale che entra nella Grande Galleria dalle finestre rivolte verso nord, anche i colori di Rubens rivivono in tutta la loro naturalezza. È impossibile presentare le opere pittoriche del barocco in maniera più degna. E insieme all'architettura degli esterni di Martinelli di chiara ispirazione italiana, alla stupenda architettura degli interni realizzata da Andrea Pozzo nella sala adiacente, ai cicli di affreschi di Rottmayr, alle opere plastiche di Santino Bussi e Giovanni Giuliani, e a tutti gli altri squisiti oggetti d'arte trasferiti da Vaduz al museo viennese, i quadri della Galleria formano un monumento all'entusiasmo che il principe provava per l'arte e che, in queste dimensioni, non dovrebbe avere uguali nel mondo.

Andrea Pozzo 1642–1709
Details aus dem Deckenfresko des
Herkulessaals, 1704–1708

Phöbus mit den Horen / Erstaunen
über die erste Heldentat des
Herkules, der die Schlangen der Juno
erwürgt hat / Diana / Bestrafung des
Herkules durch Omphale

Andrea Pozzo 1642–1709
Ceiling fresco of the Hercules Room
(details), 1704–1708

Phöbus with the Horai /
Astonishment at the heroic act of
Hercules, who has strangled Juno's
snakes / Diana / Punishment of
Hercules by Omphale

Andrea Pozzo 1642–1709
Particolari dell'affresco del soffitto
nella Sala d'Ercole, 1704–1708

Febe con le Ore / Stupore per il primo
atto eroico di Ercole, che ha strozzato i
serpenti di Giunone / Diana / Punizione
di Ercoleda parte di Omfale

Marcantonio Franceschini 1648–1729
Deckenbild im Saal V des Gartenpalais
Aurora raubt Cephalus, 1706–1708

Marcantonio Franceschini 1648–1729
Ceiling picture, Room V of the
Garden Palace
Aurora robs Cephalus, 1706–1708

Marcantonio Franceschini 1648–1729
Dipinto sul soffitto della Sala V del
Palazzo Liechtenstein
Aurora rapisce Cefalo, 1706–1708

objekten, die aus Vaduz in das Museum nach Wien gekommen sind, formieren die Bilder der Galerie ein Monument fürstlicher Kunstbegeisterung, wie es in dieser Grossartigkeit sonst kaum mehr irgendwo auf der Welt existieren dürfte. Und wenn man später aus der Galerie hinunter in den Garten sehen wird, der nach seiner Neugestaltung die wechselnden Stadien seiner Geschichte präsentieren wird, dann wird man das gute Gefühl mit nach Hause nehmen, dass auch in drei Jahrhunderten ständigen Gestaltens und Umgestaltens etwas Unvergleichliches geschaffen werden kann.

And if you later look from the gallery down into the garden, which after redesigning will show the various stages in its history, you will return home with the pleasant feeling that even despite three hundred years of constant shaping and reshaping something incomparable can be created.

E guardando dalla Galleria verso il giardino, che dopo il riassetto evidenzia i mutevoli stadi della sua storia, si tornerà a casa con la rassicurante consapevolezza che anche dopo tre secoli di continue sistemazioni e ridefinizioni di una struttura è possibile creare qualcosa di veramente incomparabile.

Santino Bussi 1664–1736
Details der Stuckdekorationen im Saal IX des Gartenpalais Liechtenstein, um 1704

Santino Bussi 1664–1736
Details of plasterwork with Hercules scene in Room IX of the Liechtenstein garden palais, *c.*1704

Santino Bussi 1664–1736
Particolari della decorazione in stucco sul tema di Ercole nella sala IX del Palazzo Liechtenstein, intorno al 1704

Marcantonio Franceschini 1648–1729
Diana und Actaeon, zwischen 1692 und 1698

Marcantonio Franceschini (1648–1729)
Diana and Actæon, between 1692 and 1698

Marcantonio Franceschini 1648–1729
Diana e Atteone, tra il 1692 e il 1698

S.60/61 pp.60/61 pag.60/61

Raimund Stillfried von Rathenitz 1839–1911
Grosse Galerie im Gartenpalais Liechtenstein, 1902
Vaduz, Privatbesitz

Raimund Stillfried von Rathenitz 1839–1911
Great Gallery, Liechtenstein Garden Palace, 1902
Vaduz, private collection

Raimund Stillfried von Rathenitz 1839–1911
Grande Galleria nel Palazzo Liechtenstein, 1902
Vaduz, collezione privata

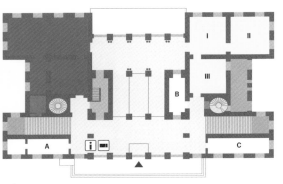

● Herrenappartement Bibliothek	Prince's apartments Library	Appartamenti del Principe / Biblioteca
○ Sala Terrena Goldener Wagen	State coach Sala Terrena	Carrozza di Stato Sala Terrena
○ Damenappartement Wechselausstellungen Säle I, II, III	Women's apartments Temporary exhibitions Rooms I, II, III	Appartamenti delle gentildonne Esposizioni temporanee Sale I, II, III
Ⓐ Führungen	Guided tours	Visite guidate
Ⓑ Garderobe	Cloakroom	Guardaroba
Ⓒ Shop	Shop	Negozio
● Lift	Lift	Ascensore
Erdgeschoss	**Ground floor**	**Pian terreno**

LIECHTENSTEIN MUSEUM

DIE FÜRSTLICHEN SAMMLUNGEN
THE COLLECTIONS OF THE PRINCES OF LIECHTENSTEIN
LE COLLEZIONI DEL PRINCIPE DI LIECHTENSTEIN

ÖFFNUNGSZEITEN

**Täglich ausser Dienstag 9.00–20.00 Uhr
Der Garten ist während der Öffnungszeiten des Museums zugänglich**

**BESUCHERSERVICE, INFORMATIONEN,
ANMELDUNG ZU FÜHRUNGEN**

**Tel:+43 (1) 319 57 67-252
Fax: +43 (1) 319 57 67-255
E-Mail: info@liechtensteinmuseum.at
Infopoint im Museum**

MUSEUMSSHOP

**Öffnungszeiten:
zu den Öffnungszeiten des Museums
Webshop:
http://shop.liechtensteinmuseum.at**

RESTAURANT, BAR, CAFÉ

**Ruben's Brasserie
Öffnungszeiten:
täglich ausser Dienstag 9.00–24.00 Uhr
Reservierungstel: +43 (1) 319 23 96-11
Fax: +43 (1) 319 23 96-96
Ruben's Palais
Öffnungszeiten: Dienstag–Samstag
12.00–17.00 und 18.30–24.00 Uhr
Reservierungstel: +43 (1) 319 23 96-13
Fax: +43 (1) 319 23 96-96
www.rubens.at
Gastgarten im Ehrenhof**

OPENING TIMES

Daily except Tuesdays: 9 am – 8 pm
The garden can be visited during
museum opening hours.

VISITOR SERVICES, INFORMATION,
REQUESTS FOR GUIDED TOURS

Tel: +43 (1) 319 57 67-252
Fax: +43 (1) 319 57 67-255
E-mail: info@liechtensteinmuseum.at
Infopoint in the museum

MUSEUM SHOP

Opening hours:
as for the museum
Web shop:
http://shop.liechtensteinmuseum.at

RESTAURANT, BAR, CAFÉ

Ruben's Brasserie
Opening times:
daily except Tuesdays, 9 am – midnight
Reservations: +43 (1) 319 23 96-11
Fax: +43 (1) 319 23 96-96
Ruben's Palais
Opening times: Tuesday–Saturday,
noon – 5 pm and 6:30 pm – midnight
Reservations: +43 (1) 319 23 96-13
Fax: +43 (1) 319 23 96-96
www.rubens.at
Garden for guests in the *cours d'honneur*

ORARI DI APERTURA

Giornalmente tranne il martedí 9.00–20.00
Il giardino é accessibile durante gli orari di
apertuta del museo

SERVIZIO PER I VISITATORI, INFORMAZIONI
ISCRIZIONI ALLE VISITE GUIDATE

Tel: +43 (1) 319 57 67-252
Fax: +43 (1) 319 57 67-255
E-Mail: info@liechtensteinmuseum.at
Infopoint nel museo

NEGOZIO DEL MUSEO

Orari d'apertura: vedi orari d'apertura del
museo
Webshop:
http://shop.liechtensteinmuseum.at

RISTORANTE, BAR, CAFFÉ

Ruben's Brasserie
Orari d'apertura:
giornalmente tranne il martedí 9.00–24.00
Riservazioni telefoniche: +43 (1) 319 23 96-11
Fax: +43 (1) 319 23 96-96
Ruben's Palais
Orari d'apertura: dal martedí al sabato
12.00–17.00 e 18.30–24.00
Riservazioni telefoniche: +43 (1) 319 23 96-13
Fax: +43 (1) 319 23 96-96
www.rubens.at
Giardino per i clienti nella 'cours d'honneur'

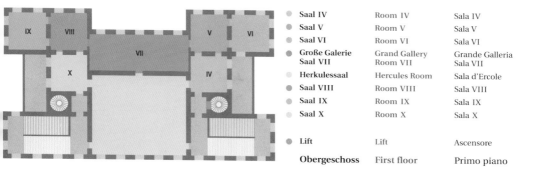

Saal IV	Room IV	Sala IV
Saal V	Room V	Sala V
Saal VI	Room VI	Sala VI
Große Galerie	Grand Gallery	Grande Galleria
Saal VII	Room VII	Sala VII
Herkulessaal	Hercules Room	Sala d'Ercole
Saal VIII	Room VIII	Sala VIII
Saal IX	Room IX	Sala IX
Saal X	Room X	Sala X
Lift	Lift	Ascensore
Obergeschoss	First floor	Primo piano

Fürstengasse 1, 1090 Wien / Österreich
Tel: +43 (1) 319 57 67-0
Fax: +43 (1) 319 57 67-20
E-Mail: office@liechtensteinmuseum.at
www.liechtensteinmuseum.at

ANFAHRT

Strassenbahn
Linie D bis Station Seegasse oder Bauernfeldplatz

Linien 37/38/40/41/42 bis Sensengasse, dann zu Fuss zur Strudlhofstiege und zum Eingang Fürstengasse

U-Bahn
U2: Station Schottentor, dann Bus Linie 40 A bis Bauernfeldplatz

U4: Station Rossauer Lände, zu Fuss 600 Meter zum Eingang Fürstengasse

U4: Station Friedensbrücke, danach zu Fuss 300 Meter zum Parkeingang

Bus
Linie 40 A bis Bauernfeldplatz
Bushalteplätze Fürstengasse/ Ecke Liechtensteinstrasse

GETTING THERE

Tram
Line D to Seegasse or Bauernfeldplatz stops

Lines 37/38/40/41/42 to Sensengasse, then on foot to Strudlhofstiege and the Fürstengasse entrance

Underground railway (U-Bahn)
U2: Schottentor station, then bus route 40A to Bauernfeldplatz

U4: Rossauer Lände station, then about 600 m on foot to the Fürstengasse entrance

U4: Friedensbrücke station, then 300 m on foot to the park entrance

Bus
Route 40A to Bauernfeldplatz
Bus stops Fürstengasse/ corner of Liechtensteinstrasse

COME RAGGIUNGERE IL MUSEUM LIECHTENSTEIN

Tram
Linea D fino alla fermata Seegasse o Bauernfeldplatz

Linee 37/38/40/41/42 fino alla fermata Sensengasse, poi a piedi fino alla scalinata Strudlhof e fino all' entrata della Fürstengasse

U-Bahn
U2: Stazione Schottentor, poi Bus della linea 40 A fino a Bauernfeldplatz

U4: Stazione Rossauer Lände, poi 600 metri a piedi fino all'entrata della Fürstengasse

U4: Stazione Friedensbrücke, poi 300 metri a piedi fino all'entrata del parco

Bus
Linea 40 A fino a Bauernfeldplatz
Parcheggio per i Bus Fürstengasse/ angolo Liechtensteinstrasse

LITERATUR BIBLIOGRAPHY BIBLIOGRAFIA

Tietze, Hans: Andrea Pozzo und die Fürsten Liechtenstein, in: *Festschrift des Vereins für Landeskunde von Niederösterreich*, Wien 1914.

Baum, Elfriede: *Giovanni Guiliani*, Wien/München 1964.

Knopp, Norbert: *Das Garten-Belvedere. Das Belvedere Liechtenstein und die Bedeutung von Ausblick und Prospektbau für die Gartenkunst*, Berlin 1966 (Kunstwissenschaftliche Studien Bd. XXXVI).

Lorenz, Hellmut: Das »Lustgebäude« Fischers von Erlach – Variationen eines architektonischen Themas, in: *Wiener Jahrbuch für Kunstgeschichte*, Jg. 32 (1979), S. 59–76.

Lorenz, Hellmut/Rizzi, Wilhelm Georg: Domenico Egidio Rossis Originalpläne für das Wiener Gartenpalais Liechtenstein, in: *Wiener Jahrbuch für Kunstgeschichte*, Jg. 33 (1980), S. 177–179.

Lorenz, Hellmut: Ergänzungen zu Fischers »Belvedere Liechtenstein«, in: *Wiener Jahrbuch für Kunstgeschichte*, Jg. 38 (1985), S. 233–238.

Lorenz, Hellmut: Ein »exemplum« fürstlichen Mäzenatentums der Barockzeit. Bau und Ausstattung des Gartenpalais Liechtenstein in Wien; in: *Zeitschrift des deutschen Vereins für Kunstwissenschaft*, Jg. 43 (1989), S. 7–24.

Lorenz, Hellmut: Zu Rottmayrs Treppenhausfresken im Wiener Gartenpalast Liechtenstein; in: *Acta Historiae Artium Hungariae*, Jg. 34 (1989), S. 137–144.

Lorenz, Hellmut: *Domenico Martinelli und die österreichische Barockarchitektur*, Wien 1991 (Österreichische Akademie der Wissenschaften. Philosophisch-historische Klasse. Denkschriften, 218. Band).

Miller, Dwight C.: *Marcantonio Franceschini and the Liechtensteins. Prince Johann Adam Andreas and the Decoration of the Garden Palace at Rossau-Vienna*, Cambridge/New York/Melbourne/Sidney/Port Chester 1991 (Cambridge Studies in the History of Art).

Miller, Dwight C.: *Marcantonio Franceschini (1648–1729)*, Turin 2001.

Werner, Jakob: *Santino Bussi 1664–1736*, Diplomarbeit Universität Wien 1992.

Polleroß, Friedrich B.: »Utilita, virtu e bellezza«. Fürst Johann Adam Andreas von Liechtenstein und sein Wiener Palast in der Roßau; in: *Österreichische Zeitschrift für Kunst und Denkmalpflege*, Jg. 47 (1993), S. 36–52.

Magani, Fabricio: *Antonio Bellucci. Catalogo Ragionato*, Rimini 1995.